AFGESCHREVEN

# Samen in de hoek

Ann Lootens
Samen in de hoek
© 2007 Clavis Uitgeverij, Hasselt – Amsterdam
Omslagillustratie: Erika Cotteleer
Trefw.: AVI 3, uniek zijn, identiteit
NUR 191, 281, 282, 287
ISBN 978 90 448 0798 1
D/2007/4124/092
Alle rechten voorbehouden.

www.clavis.be
www.clavisbooks.nl

Ann Lootens

# Samen in de hoek

met illustraties
van Erika Cotteleer

'Ik wil geen plus.

Ik wil geen min.

Ik wil geen sommen,' mokt Daan.

Loes kijkt op.

'Hoezo?'

Daan gooit zijn pen neer.

'Ik wil ... Ik wil

Ik wil meester Rob!'

'Maar meester Rob is ziek.

Dat weet je toch?' zegt Loes.

'Nu zorgt juf Trees voor ons.'

'Poeh!' zegt Daan.

Hij steekt zijn tong uit.

'Juf Trees is dom.

Juf Trees is stom.

Ik wil ...'

'Wat wil je?' zegt een stem.

Het is juf Trees.

Ze staat voor hem.

'Oh!' schrikt Daan.

Hij veert recht.

En hij wordt rood.

'Ik wil …'

Maar meer komt er niet uit.

'Hm,' zegt juf Trees.

Ze wijst hem aan.

Met haar lange vinger.

Streng zegt ze:

'Willen, willen, willen …

Kinderen die willen,

krijgen op de billen!'

Loes proest het uit.

'Niet leuk, hoor,' zegt Daan.

Maar juf Trees hoort het niet.

Ze loopt naar haar stoel.

'Haal de blaadjes op.

We gaan lezen.

Neem je boek op bladzijde 18.'

De kinderen doen het.

Maar Daan heeft geen zin.

Echt niet.

'Juf Trees is een trezebees,'

zegt hij.

Juf Trees hoort het niet.

En dat is maar goed ook.

Na een tijdje zegt ze:

'Nu vul je dat blad in.

Ik wil dat het stil is.'

De kinderen werken.

Ze schrijven.

Ze denken na.

Juf Trees zit op een stoel.

Ze leest.

Het boek heet:

*Hoe voed je kinderen op?*

Daan ziet het.

'Net iets voor haar,' lacht hij.

Loes proest het uit.

Maar juf Trees leest en leest.

Ze hoort niet eens de klop.

De klop op de deur.

'Ja,' roepen de kinderen.

De deur gaat open.

En wie is daar?

Het is Tuur.

De broer van Daan.

'Hallo!' lacht hij.

Tuur loopt naar juf Trees.

'Dag, juf Trees,' zegt hij lief.

'Krijg ik de scharen a.u.b.?'

Juf Trees kijkt op.

'Wie? Wat?' vraagt ze.

En ze kijkt hem boos aan.

De kinderen giechelen.

'We maken een vlieger,' zegt Tuur.

'Nee, hoor,' zegt juf Trees.

'Wij maken geen vlieger.

Wij maken ons blad.

En vlug wat.

Of je vliegt eruit!'

Tuur haalt diep adem.

'Maar juf Karla van 2B …'

Juf Trees kijkt hem aan.

'2B?' zegt ze.

'Maar, lieve jongen,

jij zit toch bij mij?

Hier … in 2A!'

'Nee, hoor!' zegt een stem.

Het is Daan.

'Hier ben ik.

En dat is mijn broer.'

Juf Trees staart Tuur aan.

Daarna kijkt ze naar Daan.

'O! Een tweeling!' gilt ze.

'Jullie zijn een tweeling!

Wat leuk, zeg!'

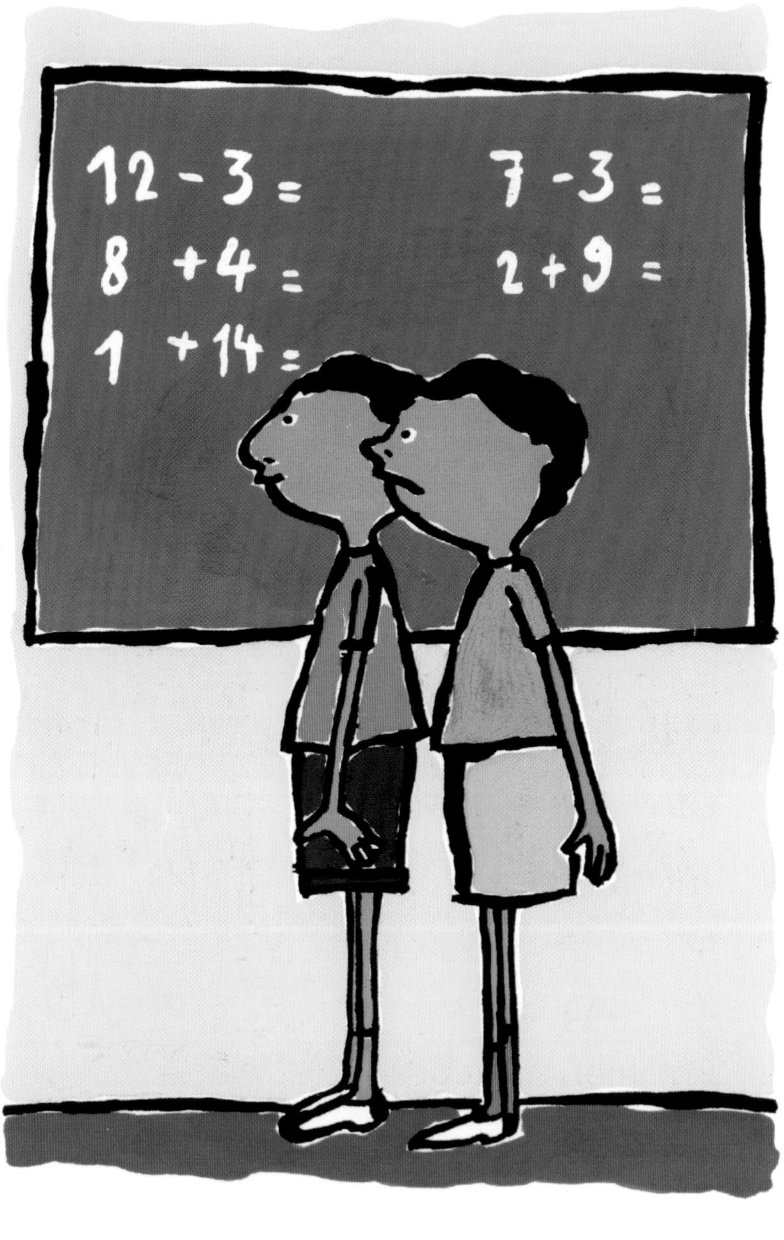
12 - 3 =
7 - 3 =
8 + 4 =
2 + 9 =
1 + 14 =

'Kom eens hier!'

Ze zet Daan naast Tuur.

'O!' roept juf Trees.

'Wat lijken jullie op elkaar.

Als twee druppels water."

'Hm,' zucht Tuur.

'Hm,' zucht Daan.

Ze vinden het niet leuk.

Maar juf Trees merkt het niet.

Ze staart hen maar aan.

'Jullie kleren,' zegt ze plots.

'Die zijn niet gelijk.

Hoe komt dat?'

'Moet dat dan?' vraagt Tuur.

Juf Trees schrikt.

'Eh … eh …' zegt ze.

'Zitten jullie niet samen?

In één klas?' vraagt ze.

'Moet dat dan?" zegt Daan.

Juf Trees kijkt raar op.

Maar Loes roept:

'Ik zit ook niet bij mijn broer.

Want ik ben vier jaar ouder.'

Daan knikt.

'Vier jaar of vier uur …

Wat maakt het uit?' zegt hij.

Alle kinderen lachen.

'Hm,' mompelt juf Trees.

Dan belt het.

Het is speeltijd.

De kinderen stormen de trap af.

Roef! Recht naar de speelplaats.

Tuur speelt tikker.

Met zijn vrienden.

En Daan knikkert.

Met Loes.

'Daan en Tuur,' roept juf Trees.

'Jullie spelen niet samen.

Hoe komt dat?'

'Moet dat dan?' vraagt Tuur.

'Hm,' zegt juf Trees.

'Sta eens naast elkaar.

Zo zie ik jullie beter."

'Oh nee!' zucht Daan.

Tuur gaapt.

Daan kucht.

'Hou op!' zucht juf Trees.

'Zo lukt het niet, hoor!'

Tuur haalt diep adem.

'U kijkt zo naar ons.

Ik vind dat niet leuk.

Echt niet, hoor.'

'Ik vind het ook niet fijn,'

zegt Daan.

'Meester Rob doet dat niet.

En wilt u twee mensen zien?

Twee dezelfde mensen?

Nou …

Kijk dan in de spiegel!'

Juf Trees wordt rood.

'Wel, wel!' roept ze.

'In de hoek jullie!

En vlug wat!'

Daan en Tuur sloffen naar de hoek.

'Nee, maar!' gilt juf Trees.

'Wat zie ik?

Staan jullie *samen* in de hoek?'

Daan en Tuur kijken op.

'Dat wilt u toch?'

mompelt Tuur.

'Jaja,' gromt juf Trees.

Ze pakt Daan en Tuur bij de kraag.

'Hier ... elk apart!'

En daar staan ze dan.

Links Daan.

Rechts Tuur.

'Pf, die juffen,' snuift Tuur.

'Ze weten niet wat ze willen.'

'Net wat je zegt,' knikt Daan.

'Ze krijgen op hun blote billen!'